PaN Fyddaf i'n Fawr

I Caspar – T.M.

I'r plentyn ynom I gyd – S.A.

Cyhoeddwyd gyntaf yn 2017 gan Scholastic Children's Books,

Euston House, 21 Eversholt Street, Llundain, NW1 1DB

Cyhoeddwyd gyntaf yn Gymraeg yn 2018

gan Rily Publications, Blwch Post 257, Caerffili, CF83 9FL

Addasiad Cymraeg gan Mererid Hopwood

ISBN 978-1-84967-056-2

Dymuna'r cyhoeddwyr gydnabod

cefnogaeth ariannol Cyngor Llyfrau Cymru.

Argraffwyd at bapur o goedwigoed cynaliadwy.

RILY

www.rily.co.uk

PaN Fyddaf i'n Fawr

Tim Minchin

Addasiad Mererid Hopwood

Darluniau gan Steve Anthony

Pan fyddaf i'n fawr, byddaf i'n
ddigon **tal** i gyrraedd
y canghennau sy'n
rhaid i mi eu cyrraedd

i ddringo'r coed y cewch chi eu dringo

pan fyddwch chi'n fawr.

A phan fyddaf i'n fawr, byddaf i'n ddigon **doeth** i ateb yr holl gwestiynau

sydd angen i chi eu hateb

cyn i chi fod yn fawr.

A phan fyddaf i'n fawr, byddaf i'n

bwyta losin bob dydd ar y ffordd i'r gwaith, a byddaf i'n...

mynd i'r gwely'n hwyr bob nos.

A byddaf i'n deffro pan fo'r haul yn deffro, a byddaf i'n...

... gwylio cartŵns nes

bod fy llygaid i'n

sgwâr, heb fecsio taten rhost, achos byddaf i'n fawr i gyd pan fyddaf i'n fawr.

Pan fyddaf

Pan
fyddaf
i'n
fawr...

Byddaf i'n ddigon cryf
i gario'r holl bethau trwm
sy'n rhaid i chi eu llusgo gyda chi
pan fyddwch chi'n fawr.

A phan
fyddaf in fawr,
byddaf i'n ddigon
dewr i ymladd
yr holl
greaduriaid

sy'n rhaid
i chi
eu
hymladd

o dan
eich
gwely
bob
nos

er mwyn cael bod yn fawr.

A phan fyddaf i'n fawr, byddaf i'n cael pethau **bob dydd...**

...a byddaf i'n chwarae gyda'r pethau

mae mamau'n esgus nad yw
mamau'n eu mwynhau.

A byddaf i'n **deffro** pan fo'r haul yn deffro
ac yn treulio drwy'r dydd yn gwneud dim byd ond
gorwedd yn yr haul

a fyddaf i ddim yn llosgi achos byddaf i'n fawr i gyd
pan fyddaf i'n fawr.

Pan fyddaf i'n fawr.

Pan fyddaf i'n fawr.

Pan fyddaf i'n fawr.

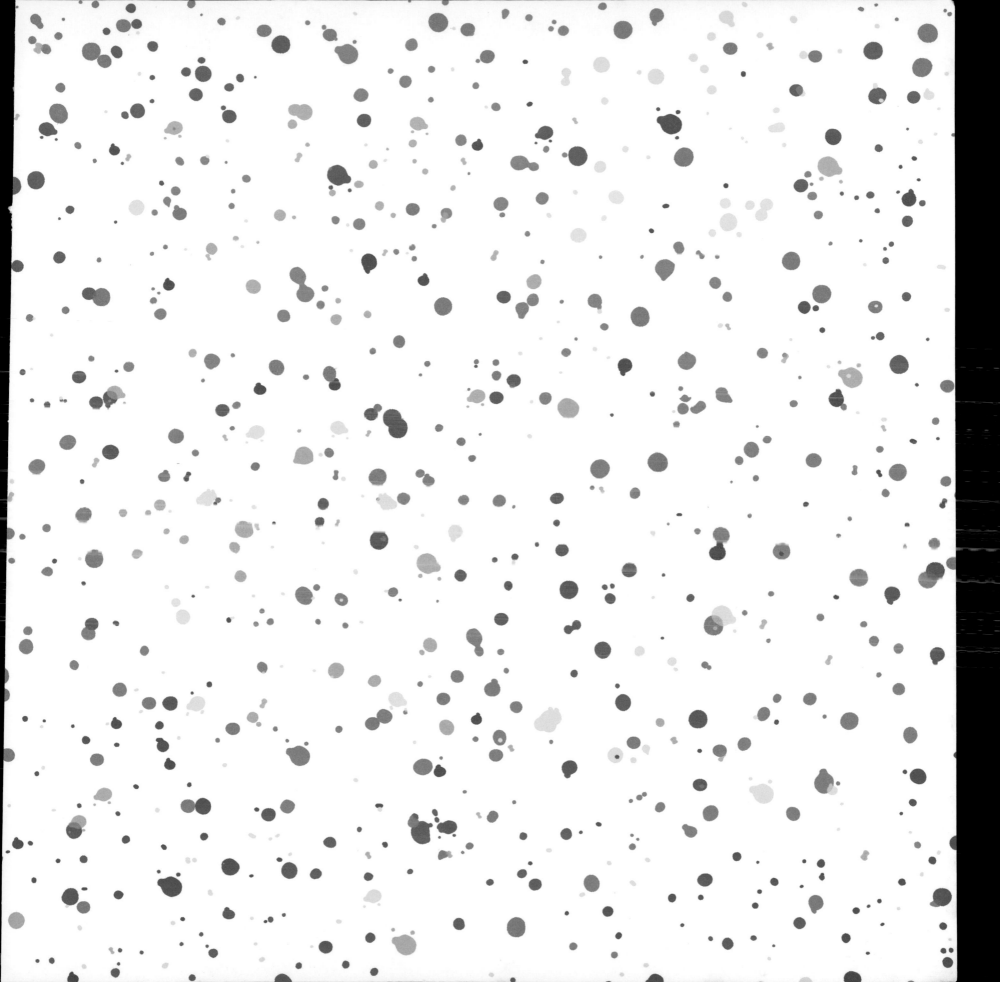